D0620565

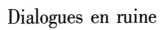

Dialogues en ruine

Laurent-Michel Vacher

Dialogues en ruine

Liber

Éditions Liber
C. P. 1475, succursale B
Montréal, Québec
H3B 3L2
Téléphone : (514) 522-3227

Diffusion Dimedia
519, boul. Lebeau
Saint-Laurent, Québec
H4N 1S2
Téléphone : (514) 336-3941

Préface

« Un jour, je devrais écrire un petit bouquin
avec tout ce que tu racontes.
— Si jamais tu fais ça, tu m'entends,
je t'arrache la tête ! »

*Jean Papineau est mort le 16 décembre 1995
d'un cancer de l'œsophage. Il avait 45 ans.*

Je ne me souviens pas à quel moment exactement nous nous sommes rencontrés pour la première fois. Je sais que je l'avais entrevu au cégep Ahuntsic au début des années soixante-dix – il avait un an de plus que moi –, mais ce n'est qu'à l'université de Montréal que nous avons vraiment commencé à établir des liens. Il était en philosophie, j'étais en littérature, mais il nous arrivait de suivre des cours communs. C'est sans doute l'un d'eux qui nous a mis en contact. Je me souviens en tout cas de l'avoir abordé rue Jean-Brillant, et d'avoir été étonné et flatté – car j'étais déjà sensible à son regard à la fois tendre, amusé et ironique, et à sa marginalité – de son attitude accueillante à l'égard de mes commentaires – sur quoi ? – vraisemblablement sans grand intérêt. Puis les choses se sont enchaînées, les circonstances et quelque affinité aidant, nous nous sommes retrouvés souvent ensemble, à l'université, chez lui, chez sa sœur Francine, au Bouvillon, et plus tard, avec Michel Vacher, à l'Express, au Lux, au Petit Extra, ailleurs. Si on excepte mes trois ans d'absence du pays à la fin des années soixante-dix, au cours desquels nous n'avons de toute façon pas cessé de correspondre, il ne s'est je crois jamais passé beaucoup de temps sans que nous ne nous voyions. Et beaucoup de temps commençait déjà après quelques jours. Le téléphone sonnait alors et, sans présentation, sa voix, parfois théâtralement exaspérée, parfois comme retenue par une fausse inquiétude, disait : « Mais qu'est-ce qui se passe, on ne donne plus de nouvelles ? » Et c'était étonnant de voir, après seulement quelques jours, à quel point notre bavardage était intarissable.

Michel Vacher avait été, à des moments différents, notre professeur. Mais ce n'est que lorsque Jean est devenu son collègue au département de philosophie du cégep Ahuntsic, au milieu des années soixante-dix, que les relations *entre eux se sont nouées, au point bientôt, pour certains en tout cas, de croire que l'un n'allait pas sans l'autre. Dans ce sens, il ne faut pas penser que l'épigraphe empruntée à Gogol* (« *Toute la joie de ma vie, ma joie suprême, a disparu avec lui* ») *soit de la rhétorique. Il suffit pour s'en convaincre de se reporter à l'avertissement à* Pour un matérialisme vulgaire : « *Je remercie particulièrement Jean Papineau, qui fait ce qu'il peut pour que je ne me prenne pas au sérieux* » ; *à l'avant-propos d'*Histoire d'idées : « *J'en profite pour remercier mon ami Jean Papineau...* » ; *ou encore au* Canabec libre, *qui est dédié au même. À vrai dire, je peux attester que, d'une certaine façon, tous les textes que Vacher a écrits après sa rencontre avec Jean sont informés par ses commentaires, par sa culture, par son esprit, comme si chaque fois c'était à lui qu'il fallait répondre, avec lui qu'il s'agissait de dialoguer. Ils étaient en somme l'un pour l'autre l'interlocuteur idéal, non pas le complément ou le double de soi, mais celui qui est capable de donner la réplique, en sauvegardant sans aucun effort sa personnalité tout en partageant avec une authenticité imprescriptible les principes du jeu et les exigences de la pensée. Dans un des dialogues qui suivent, Vacher fait d'ailleurs dire à* l'autre : « C'est vrai que nous sommes en désaccord complet sur tout. Mais tu devrais te consoler en songeant à quel point notre entente est profonde sur le reste ! » C'est, je pense, une autre façon de dire la même chose. On se souviendra que L'empire du moderne est dédié aux médecins qui, dit Michel Vacher, « voici quelques années, m'ont d'abord évité le pire et ensuite, chacun à sa manière, rendu à une vie normale » ; dans la même circonstance, c'est Jean qui lui a, intellectuellement cette fois, évité le pire puis qui l'a rendu à une vie normale.

On comprendra dès lors que le survivant ait voulu rendre hommage à celui qui l'a soutenu, encouragé, alimenté et aussi – oh combien ! – critiqué pendant une vingtaine d'années, et on mesurera sans doute mieux ce que les dialogues qui suivent signifient. Ils ont été pour lui tout d'abord un exorcisme, un exercice cathartique d'où l'ami disparu renaît transfiguré et immortel – rendu, à son tour, de manière symbolique, à une vie normale –, une façon de défier, dans une sorte de baroud d'honneur, non pas la mort, mais l'effondrement qu'elle a irrémédiablement provoqué. Mais ils ont aussi été écrits dans cette perspective, disons, pédagogique à laquelle Vacher tient énormément : Jean était une figure *exceptionnelle non pas du savoir, ni même, à vrai dire, de la culture, mais de l'homme, dans ce qu'il a d'intelligence et de sensibilité, d'intransigeance et de curiosité, d'insupportable égoïsme et d'inexplicable générosité, de plaisir de vivre et de conscience de sa finitude. Il ne fallait pas que pareil exemple ne laisse pas de trace, ne serait-ce qu'à la manière, pour ceux qui ne l'ont pas connu, d'un personnage de roman.*

Jean Papineau est le type même de l'intellectuel qui n'a pas écrit. Car si on excepte quelques textes, à la vérité sans grande importance – lettres laconiques aux journaux, comptes rendus de livres, brèves interventions lors de colloques –, il n'a rien laissé qui pourrait ressembler à l'exposé d'une pensée. D'ailleurs ni « exposé » ni « pensée » ne sont des mots qui conviennent à l'usage qu'il a fait de ses connaissances et de sa perspicacité. Combien de fois ne lui avons-nous pourtant pas demandé ce qu'un autre des dialogues suivants rappelle : « Mais, enfin, pourquoi tu t'entêtes ainsi à ne pas vouloir écrire ? » L'écriture n'était pas son lieu naturel, la résistance a chaque fois été farouche, intraitable. Certes, particulièrement lorsque, la veille ou l'avant-veille, nous l'avions poussé dans ses derniers retranchements, il lui arrivait à l'occasion de m'appeler, en disant : « Je peux te lire quelque chose ? » Mais ces « précipités », la plupart du temps, comment dire, mangeaient les idées, comme on dit manger les mots. Jean Papineau n'avait pas la patience de la démonstration. Voilà pourquoi sans doute, dans les dialogues reconstruits par Vacher, il a toujours l'air un peu agacé d'avoir à expliquer. Ces textes sont en fait quelques pièces détachées puis recollées d'une pensée qui n'a jamais éprouvé le besoin de s'exprimer dans une forme conventionnelle – étude savante, essai, interventions répétées martelant quelque slogan –, mais que nous, ses amis intimes, aurions toujours voulu lire ne serait-ce que dans son éclatement même.

Peut-être se laissait-il écraser par ceux qu'il admirait, non pas à la manière d'un disciple, mais parce qu'il avait trouvé en eux la meilleure expression de ce qu'il pensait et ressentait, et que, dès lors, sa propre version des choses lui semblait superflue. Peut-être était-il paresseux. Peut-être avait-il trop d'orgueil secret et de souci perfectionniste pour affronter le jugement critique d'autrui. Peut-être souffrait-il également, comme beaucoup d'intellectuels canadiens-français, de ce sentiment lancinant d'être « miné linguis-

tiquement et culturellement ». Mais peut-être enfin n'était-ce tout simplement pas sa nature d'être un intellectuel de forme classique.

Son attention et son énergie allaient ailleurs, se manifestaient autrement. En fouillant dans ses papiers, j'ai une fois de plus été renversé par le nombre de bibliographies, de listes, de répertoires, qu'il confectionnait, les bouts de papier sur lesquels il avait noté une référence, un nom, un thème. Ce fait est doublement révélateur : d'une part, il atteste que Jean Papineau lisait constamment, de tout et sur tout. Il était en fait atteint d'une boulimie qui faisait qu'il investissait une quantité incroyable de temps et d'argent dans livres, journaux, revues, etc. Tout comme Michel Vacher à cet égard, il aurait trouvé intolérable de savoir que quelqu'un quelque part était en train de faire, de dire, de proposer quelque chose dont il n'était pas au courant. Cette course pour être à jour, qui n'a évidemment rien à voir avec le désir fébrile d'être à la mode, était bien entendu perdue d'avance – encore plus sûrement quand on s'éloignait des domaines qui faisaient davantage partie de sa formation (philosophie, littérature, art) et des aires culturelles les plus proches de nous –, mais cela n'était pas une raison de s'arrêter.

Le deuxième trait que sa manie révèle, c'est qu'une bonne partie de ce travail était faite pour les autres. Ses étudiants d'abord, pour qui il avait beaucoup de respect. Ce ne sont pas eux, grognait-il aux critiques qu'on leur adressait, qui manquent d'intérêt pour leurs études, qui font baisser le niveau, qui se ferment à la pensée ; ce sont les enseignants qui n'ont plus de ressources pour éveiller la curiosité et nourrir l'imagination, pour inspirer par leur exemple même non seulement le plaisir du savoir mais aussi, d'une manière générale, la passion de la vie. Car ses inventaires n'étaient pas uniquement de nature livresque. Il m'avait remis par exemple, à l'intention de ma fille, la copie d'une liste d'adresses qui pouvaient être utiles aux étudiants : librairies, musées, cinémas de répertoire, revues, etc. Son désir d'informer, d'aider, de stimuler, se déchaînait aussitôt qu'il sentait l'intérêt qu'on portait à ceci ou cela, chez ses collègues aussi bien que chez les inconnus avec qui il bavardait au restaurant. Rarement à court d'idées, quand cela lui arrivait, il se rattrapait à la première occasion. Et ses suggestions n'étaient jamais banales.

Je le consultais toujours pour mon travail, et je ne sais plus combien d'idées de publication il m'a proposé d'envisager. Quelques-unes ont marché, notamment deux traductions qu'il a réalisées lui-même, dont une a gagné le prix du gouverneur général de la catégorie. Ce n'était pas un traducteur, et ce travail lui a coûté beaucoup. Qu'importe, il ne faisait pas cela pour sa carrière ou sa réputation, encore moins pour l'argent, mais pour s'occuper et pour me faire plaisir, parce qu'il faisait attention à moi. Ce que je lui dois, affectivement, intellectuellement et professionnellement — mais tout cela ne faisait qu'un — est incommensurable. Il ne se passe pas un jour où, devant des décisions à prendre, des choses à juger, des bouleversements qui me déstabilisent, je ne me demande, pour m'orienter : « Qu'est-ce que Jean m'aurait dit ? » Je remercie mon ami Michel Vacher de me faire entendre, à travers ces dialogues, la voix qui m'aide encore à répondre, et de permettre à d'autres qui ne l'ont pas connu de rencontrer indirectement un esprit peu commun.

GIOVANNI CALABRESE

Dialogues en ruine

Quand l'ami est mort, nous l'épinglons avec ses propres formules et expressions, nous le tuons avec ses propres armes. D'un côté, il vit par tout ce qu'il nous a dit (à nous comme aux autres), d'un autre côté, nous nous servons de cela pour le tuer. [...] Les héritiers sont cruels, les survivants ne reculent devant rien, pensai-je. Nous réunissons des témoignages contre lui, pour nous, pensai-je. Nous raflons tout ce qui peut nous servir contre lui, pour améliorer notre situation, pensai-je, voilà la vérité.

Thomas BERNHARD
Le Naufragé

*Toute la joie de ma vie,
ma joie suprême, a disparu avec lui.*

Nicolas GOGOL
(à la mort de Pouchkine)

Des choses de la vie

Quelques jours plus tôt, un ami à LUI *était mort du sida.* L'AUTRE *aussi l'avait connu, mais avant la maladie. Ils évoquèrent son souvenir en marchant boulevard Saint-Laurent, entre les rues Rachel et Prince-Arthur, par une fin de journée d'automne où la lumière était transparente comme dans* The Trouble with Harry (Mais qui a tué Harry ?) *de Hitchcock (1955).*

L'AUTRE – Tu l'avais revu récemment ?

LUI – Oui, plusieurs fois. Il était très amaigri et son visage était ravagé. Mais il faisait semblant de rien, tu vois, avec une sorte de superbe mêlée d'indifférence, de douceur et de provocation. Le regard des gens se détournait de lui, et il semblait leur dire : « Je vous comprends, vous n'avez pas de chance de voir ça. » Il allait malgré tout au spectacle ou au restaurant comme avant, avec une impudeur assez bouleversante.

– Et tu en as pensé quoi ?

– Oh moi, tu sais...

Je suis bien trop convaincu d'avance que toute existence, en dernière analyse, ne peut être qu'un échec lamentable, un gâchis dérisoire. Que ce soit avec humour ou tragique, nous n'avons mieux à faire que d'explorer attentivement ce néant désespérant, cette errance et cet enlisement inéluctable qu'on appelle aujourd'hui la vie.

Le spectacle de l'irrécupérable misère et de l'abjecte bêtise des humains exige de nous autant de dignité que de révolte, qui sont nos seules armes pour résister à la hantise de la décadence et de la pourriture d'un univers à la fois cruel, labyrinthique et absurde, comme dans un livre de Kafka ou de Beckett.

Pour ma part, je n'en finis pas de ressentir avec rage le malheur du monde, c'est comme... l'inguérissable souffrance humaine, et d'être habité par un violent désir de destruction et de néant. Je peux dire que l'effroi devant la terreur du réel et la vanité de la « raison » humaine ne me lâche guère.

C'est pour cela que je me sens si proche de Leopardi : « La vie où que ce soit n'est pour moi que tourment et abomination. » C'est aussi le motif de ce que tu appelles ma pudeur : je me méfie trop du quotidien intime des gens, de leur vie privée, dont je crains et respecte à la fois les secrets maladifs. Tu penses bien que voir mourir courageusement et avec panache un intellectuel aussi raffiné et pénétrant ne pouvait faire autrement que me conforter dans mon pessimisme transcendantal.

Nous n'allons nulle part, voilà.

(*LUI se redressa soudain, un bras levé, regardant en direction du ciel, le poing tendu, et s'exclama avec ironie* : « Dieu, vieux chien, sors de ta cachette ! » *Il enchaîna en souriant.*)

Oui, nous n'allons nulle part, mais la route que nous sommes contraints de parcourir pour y arriver n'en est pas moins escarpée et pleine d'embûches. C'est pourquoi, voués ainsi au désordre, à la multiplicité, au risque et au hasard de la vie, nous devons tenter de cheminer avec le plus de tenue et de justesse possible, ainsi qu'avec audace – même si, comme au Lenz de Büchner, il nous est « désagréable parfois de ne pas pouvoir marcher sur la tête ».

C'est logique, non ?

(*Un silence.*)

En fait, je me demande pourquoi je te raconte tout ça, alors que toi, avec ta petite tête de curé, tu n'es au fond, derrière une façade soi-disant réaliste-rationaliste-matérialiste-scientiste-et-pragmatiste, qu'un *romantique* invétéré et un indécrottable *optimiste* ! (*Il ne prononçait ce dernier mot qu'avec dégoût.*)

Comme si de rien n'était, ils poursuivirent en devisant littérature, Céline, Musil, Aquin, Ducharme, Pessoa, mais aussi Peter Handke ou Heiner Müller, et bien sûr Thomas Bernhard l'acide, encore et toujours Thomas Bernhard, « le grand emmerdeur », *le maître en* « dénigrement du monde ». *Le soir finit par tomber.*

De la France

Selon son habitude, L'AUTRE pestait avec hargne contre les Français, ses ex-compatriotes qu'il professait depuis trente ans déjà ne plus pouvoir supporter.

Lui – Tu n'imagines pas à quel point tu m'énerves quand tu fais ça.

L'AUTRE – Ah oui ? On peut savoir pourquoi ?

– Bien sûr, même si tu es mal placé pour comprendre.

– En quel honneur, s'il vous plaît ?

– Soyons concrets. Prenons un exemple que je connais un peu : moi. Quand je suis allé en France pour huit ou neuf mois, il y a quelques années, je me suis senti tellement *trou de cul*, tu peux pas concevoir ça !

Attention, je ne parle pas du fait que je m'étais embarqué dans une passion boiteuse qui m'a piégé dès mon arrivée à Paris (laissons ma vie privée, c'est vraiment trop compliqué), ni du fait que mes projets sur le bicentenaire de la Révolution ont foiré – bien qu'il y ait aussi des rapports entre tout ça, j'en suis sûr, ce serait même assez instructif à fouiller, mais bon, pour l'instant la question n'est pas là.

Non, tu vois, la vérité c'est que j'ai compris en trois jours à quel point j'étais, comment dire, miné linguistiquement et culturellement. C'est une chose que, normalement, on ne peut pas exprimer ici, impossible, personne, jamais.

Tu auras sans doute remarqué que tout Québécois qui revient de France, qu'il soit professeur d'université ou vendeur d'autos, s'esclaffe avec un enthousiasme mal dissimulé devant les anglicismes extravagants et envahissants des Parisiens, le genre *chicken sandwich* ou *fish salad* prononcé avec l'accent français à la terrasse d'un bistro du boulevard Saint-Germain ou des Champs-Élysées, pour conclure fièrement et naïvement qu'« on parle davantage français au Québec, alors on aurait tort de s'en faire, etc. »

Mais ce que chacun de nous ressent obscurément, c'est qu'à milieu social, âge, sexe, éducation et QI comparables, les Français en moyenne disposent d'environ, pas deux ni trois, mais cinq à dix fois plus de vocabulaire usuel que nous, le genre : mille cinq cents

mots au lieu de deux cent soixante-quinze –
c'est d'ailleurs très facile à vérifier, n'importe
quel sociolinguiste comparatif peut mesurer
ça, il y a des études là-dessus, crois-moi.

Qu'il soit bien clair ici que je ne parle
absolument pas de notre accent, ni du joual, ni
de nos anglicismes bien à nous, mais seulement des limites de jeu de notre parole, d'une
espèce d'embarras cérébro-mental de la
langue, infiniment plus dangereux que tous les
autres « défauts » qu'on pourrait diagnostiquer
dans notre français.

Et puis, je n'ai rien dit non plus de la
culture, parce que là ce serait assez tordu :
même si mon équivalent, ou correspondant,
français m'est apparu en général trois ou
quatre fois plus cultivé que moi (par exemple,
lisant Aristote, Spinoza, Kant ou Gramsci dans
le texte), il m'a souvent semblé proportionnel-
lement plus rigide, conformiste, idiot ou snob,
ce qui complique un peu les choses – mais
évidemment je suis bien mauvais juge, et donc
je laisse tomber.

Oh, bien sûr, je t'entends déjà raisonner,
en bourdieusien impénitent, que si les Européens en général et les Français en particulier
ont tant de vocabulaire et de culture, c'est

simplement parce que la compétition élitiste pour un minimum de statut socioculturel est là-bas d'une férocité assez inhumaine, que le capital linguistique en est l'une des armes principales, et qu'on devrait être bien trop content de ne pas se faire ratiboiser, comme aurait dit Artaud, par un pareil système. Seulement, voilà, moi je crois que comme analyse, c'est erroné, ou du moins que les choses sont infiniment plus compliquées et les enjeux bien plus profonds que ça.

Tu t'en fous, bien sûr, ça t'arrange même de faire comme si tout ça était faux, ou pas grave. Pour toi, c'est facile, évidemment. Mais pour nous, pour ceux du moins qui en prennent conscience, c'est une insupportable blessure d'amour-propre, un déchirement j'oserais presque dire spirituel, une source de déréliction existentielle si cruelle et insurmontable qu'on ne peut guère que dénier le tout, car c'est à peu près la seule solution vivable – et donc on s'empresse de refouler ça très vite, très loin, pour nous acharner plutôt sur les fameux anglicismes ridicules des Français, tellement commodes et rassurants.

Le reste, pratiquement personne n'y fait jamais allusion, et c'est bien naturel. En un sens, tu as une chance inouïe de m'entendre raconter ça. Le fait est que notre rapport d'amour-haine avec la France et les Français mériterait toute une recherche historico-psychanalytique.

Spécialement ce dont nous parlons là, cette lutte sans relâche contre la gaucherie verbale, l'infirmité linguistique, accompagnées de la honte d'être aussi limité, du sentiment d'infériorité du provincial maladroit, avec les complexes de colonisé que tout ça réveille en nous – il y aurait une étude entière à faire là-dessus, que nul n'écrira, tu peux en être certain, surtout pas moi !

Et attention, j'ai pas besoin de te dire que je ne suis ni misérabiliste ni masochiste. Tu me connais assez pour ne pas perdre de vue que, par ailleurs, je serais le premier à me battre pour défendre la thèse selon laquelle « le niveau monte » et pour soutenir que la langue ne s'est jamais aussi bien portée au Québec qu'aujourd'hui !

Mais la France, mon vieux, la France... – tiens, allez, laisse-moi plutôt tranquille une fois pour toutes avec tes récriminations contre la France et les Français, tu veux bien ?

L'AUTRE observa pensivement son certificat de citoyenneté, qu'en bon néo il portait toujours sur lui, et ne répondit rien.

De l'art et de la musique

Quand L'AUTRE entra chez LUI, il reconnut sans peine
Le clavier bien tempéré de Bach, au piano, par
Glenn Gould, un enregistrement que LUI avait bien
dû entendre deux cents fois. L'AUTRE se tut donc
ostensiblement et alla s'asseoir sans bruit. Ils
écoutèrent ainsi, durant une bonne demi-heure, la
fin du Livre 1. Après quoi la conversation s'engagea
lentement.

LUI – Alors, ma vieille branche, tu reconnais
que c'est quand même beau la musique ?
L'AUTRE – Admirable, j'avoue !

– Jamais je me lasserai, pour ne prendre
que quelques exemples, des *Suites pour*
violoncelle seul de Bach, des *Variations*
Diabelli ou des derniers quatuors de
Beethoven, des trois dernières sonates pour
piano de Schubert, de la *Sonate en si mineur*
de Liszt, de la *Barcarolle* de Chopin, des
quatre derniers lieder de Strauss ou de *La nuit*
transfigurée de Schoenberg. Ce sont des

choses qui aident à survivre, si j'ose m'exprimer ainsi, les seules en un sens.

En passant, tiens, lorsque j'énumère des
noms ou des titres, comme je fais sans arrêt, il
y a des gens qui pensent que je cherche à
étaler ma culture ou mes relations pour
impressionner l'interlocuteur, alors que c'est
plutôt la seule manière que j'ai trouvée pour
me situer, pour indiquer quel est mon univers
mental, et aussi pour faire un peu de
propagande en faveur de mes idoles, pour
répandre autant que possible la maladie de la
lecture ou de la musique – c'est peut-être un
truc de prof, après tout.

– Et encore, pour une fois, tu n'as pas
spécifié les interprètes ! Alors vraiment,
comme ça, tu t'imagines que beaucoup de
monde croit que tu fais de l'esbroufe ?

– « Même les paranoïaques ont des enne-
mis », comme disait Bukowski, ou William
Barrett, je ne sais plus trop.

Mais revenons-en à notre affaire. Tu
n'ignores pas que j'ai deux cultes centraux –
mis à part les idées et les livres d'idées, les
magazines de livres et les revues d'idées et
donc les bibliothèques, les librairies et les
bibliographies, toutes choses qui sont mon

ministère même, mon métier et mon pain quotidien. Ce sont le culte de l'acte sexuel et le culte de l'art.

Ma première divinité, c'est l'Ange de la chair, le Démon des corps, l'Esprit du désir. Cette religion, libertine peut-être, mais exigeante et terrible, professe qu'il ne faudrait jamais résister à la tentation, qu'on devrait être intégralement et absolument fidèle, mais fidèle à Eros, à la passion ou au désir, *maître rageur et ravageur*, plutôt qu'à telle personne. Tu sais que, là-dessus, je ne peux ni ne veux rien dire.

Mon second culte, par contre, j'en parlerais plus volontiers. L'art, c'est notre meilleure, notre seule arme contre le Négatif. Je l'ai appris d'Adorno et Benjamin, et je n'en démordrai plus : l'art est le principal levier de résistance susceptible d'ébranler un peu la « totalité négative ». Ma seconde famille de divinités, ce sont donc les Muses, Hermès, Apollon et compagnie.

— Tu ne crois quand même pas au Beau en soi de Platon ?

— Malade, va ! Tu sais bien qu'à ma façon je suis aussi naturaliste ou matérialiste que tu peux l'être. Non, je ne crois pas au Beau platonicien. Mais je soutiens que les qualités d'une œuvre, toutes ses caractéristiques esthétiques et artistiques, tu vois, y compris cette chose trop réelle qu'on appelle faute de mieux sa beauté, sont aussi factuelles et objectives que le plus obstiné des faits physiques.

Le relativisme me fait rire. Que l'aveugle ne voie pas l'arbre ne nous renseigne que sur l'aveugle, pas sur l'arbre. De même, si quelqu'un ne sent pas que *Le clavier bien tempéré* par Gould est un accomplissement absolument renversant et extraordinaire, cela ne nous apprend rien sur l'œuvre de Bach et tout sur la surdité musicale de l'auditeur en question.

Dès qu'il me retient, m'apparaît problématique ou important, chaque poème, chaque morceau de musique, chaque film, chaque tableau me force à travailler, à réfléchir, à analyser et à approfondir. En général, dans une œuvre, une peinture par exemple, il y a un détail intéressant, un surtout, qu'il faut déceler et dont on peut ensuite partir pour essayer de parvenir à une certaine compréhension du reste, de l'ensemble. Le plus difficile, c'est de découvrir quoi chercher et comment – trouver, en quelque sorte, où regarder.

Essentiellement pratique, cette recherche est une discipline subtile et sans règles fixes, une ascèse complexe, qui en dernier ressort nous enseigne toujours, d'une façon ou de l'autre, la subversion et la protestation contre l'état de choses existant ; l'utopie d'une autre réalité moins dégradée et falote ; la découverte d'un ordre et d'un désordre nouveaux, plus nécessaires et plus riches ; l'attention à l'inaccessible et à l'étranger, au sauvage et à l'accidentel, au sublime et au mystérieux ; toutes choses sans lesquelles nous ne serions littéralement rien.

Que ce soit Poussin ou Betty Goodwin ; Delacroix ou Hans Haacke ; Cézanne, Duchamp, Sol LeWitt, Beuys ou Francis Bacon, l'art m'a donné la moitié de ce qui m'a permis de tenter de vivre.

LUI se leva et fit jouer le Trio Op. 45 *de Schoenberg. Après quoi ils allèrent tranquillement souper au Poco Più, « le seul dans le quartier qui soit à la hauteur de ce que nous venons d'entendre », affirma LUI.*

De la philosophie

L'AUTRE venait de publier un livre. LUI avait, comme de coutume, tenté de l'en dissuader durant des mois. Ensemble, ils prenaient place dans l'autobus 56 (ligne que, peu de temps après, les bureaucrates de la STCUM allaient saboter pour des raisons fallacieuses, à la grande indignation de L'AUTRE).

LUI – À t'entendre et te lire, on croirait que sous prétexte d'être « vraie », la philosophie devrait nécessairement être prosaïque ! Veux-tu m'expliquer où tu es allé chercher ça ? Pour commencer, qui te dit qu'elle doive être vraie ? Tu ne penses pas qu'elle pourrait aussi bien avoir mille autres choses plus intéressantes à faire qu'être vraie ?

L'AUTRE – Comme quoi ?

– Qu'est-ce que j'en sais, moi ? Être inventive, être folle, être belle, être provocante, être critique, être riche, être stimulante, être profonde, être érudite, bref tout ce que tu voudras. Nous faire changer de posture, d'optique, d'horizon. Nous montrer les problèmes, les choses, la vie, sous une perspective inédite et féconde. Contribuer, si c'est possible, à faire de nous des êtres différents – dans le meilleur des cas, comment dire, des êtres un peu moins pourris.

Note qu'il est très loin d'être évident que la « vérité » puisse spécialement contribuer à tout ça. Pourtant, admettons-le un instant pour les besoins de la discussion. Si la philo devait satisfaire à la vérité, mais aussi être toutes ces autres choses et davantage, ne crois-tu pas qu'alors il serait absolument improbable qu'au bout du compte elle soit prosaïque, non ?

– Eh bien, c'est-à-dire...

– En outre, tu devrais tout de même savoir mieux que personne que les grandes philosophies, les plus excitantes, en général sont probablement *fausses* ! Fausse la théorie platonicienne d'un « lieu intelligible », fausse la thèse cartésienne du dualisme de l'âme et du corps, faux le scepticisme de Hume quant à la causalité, fausse la doctrine kantienne de la constitution transcendantale, fausse la dialectique hégélienne de la raison dans l'histoire, fausse la prédiction marxienne de l'effondrement inéluctable des sociétés capitalistes.

Faux Husserl et Wittgenstein, Habermas et Foucault. Tout faux, chacun sait ça !

Faux, peut-être — mais passionnant, enthousiasmant. Alors que, excuse-moi de te le dire, même si tout ce que racontent tes Dewey, Moore, Farber, Hertel ou Bunge était plus ou moins « vrai », ça n'en serait pas moins plate, figure-toi. *Plate*, exactement.

Or, tout est là !

— Tu ferais n'importe quoi pour me contrarier, toi, hein ?

— Rassure-toi, Le Fou. C'est vrai que nous sommes en désaccord complet sur tout. Mais tu devrais te consoler en songeant à quel point notre entente est profonde sur le reste !

Ils se séparèrent, vaguement fâchés, à l'entrée de la station de métro Jarry.

De la météo

*Quand ils sortirent du Petit Extra, ils furent sou-
dain enveloppés par le vent et la pluie.*

L'AUTRE - Quel sale temps maussade !
Lui - Non mais vraiment ! Qu'est-ce que tu
racontes ? Mauvais temps, peut-être, mais tu
vois pas que c'est très bien comme ça ?
Décidément, tu me déçois.

— En tout cas, la météo s'est trompée.

— Ah non, pas encore la météo !

Tout dans la météo me révolte.

L'emprise des stéréotypes de la météo est
la preuve sans appel de la bêtise de nos contemporains. S'il y a un stigmate de l'irrécupérable imbécillité de la bête humaine
moderne, c'est bien la place que la météo tient
dans la tête et dans la conversation des gens —
les médias ne faisant que suivre, exploiter et
renforcer ce potentiel lamentable.

Soit dit au passage, tout ça repose sur une
pure et simple mythologie : dans la réalité, on

sait que près du tiers des gens *aiment la pluie* ! C'est un peu comme avec le Dow Jones. S'il descend, on nous l'annonce avec un ton inquiet. S'il monte, évidemment, c'est bon signe – mais s'il monte trop et trop vite, c'est mauvais. Personne ne sait exactement pourquoi, on n'y comprend rien, mais c'est une comédie aussi rassurante que dénuée de fondement.

Sans parler du fait que la météo n'est pas une science, pas même un savoir empirique, mais seulement un ramassis de probabilités bancales amplifiées par des modèles informatiques dénués de toute signification. Une science digne de ce nom devrait subtilifier (si tu me passes ce néologisme) et ennoblir son objet, alors que la météo le cochonne irrémédiablement.

Vois-tu, il faudrait accueillir le temps qu'il fait avec stoïcisme et ouverture d'esprit. Même la pire imprévisibilité des éléments, parfois contrariante, c'est sûr, mais tout aussi souvent exaltante ou apaisante, mériterait de notre part une attitude plus attentive, plus humble et plus décidée, dans laquelle le silence occuperait forcément une place centrale.

Un type humain qui a perdu l'aptitude à se résigner une fois pour toutes, du plus profond de son être, à sa définitive dépendance face aux caprices du temps – comment veux-tu, après ça, qu'il ait une attitude le moindrement respectable et constructive quant à notre impuissance radicale devant le fond barbare, le fond dernier de tout ?

Or, ma vieille noix, essaie de te mettre ça dans ta petite caboche : c'est la chose qui compte le plus.

D'où ma haine inexpiable pour la météo !

– CQFD.

– Cela dit, tiens, je suis d'accord avec toi. Le temps est maussade.

Mais pas le temps qu'il fait.

Pire : un *climat général*.

Lui héla un taxi et disparut.

De l'anthropologie

Un autochtone venait juste de se faire vider de la brasserie du Cheval Blanc, pour hurlements et saccage dus à son état avancé d'ébriété.

L'AUTRE – Avec tes histoires d'anthropologie, Clastres, Savard et compagnie, j'ai l'impression que tu nous refais le coup du « bon sauvage ».

LUI (*Excédé.*) – C'est vraiment incroyable !

– Arrête de m'engueuler et essaie plutôt de m'expliquer !

– Bon, si tu veux. Mais fais un petit effort, parce que j'ai peur que ce soit le genre de chose qu'on n'arrive jamais à raconter à quelqu'un qui n'est pas déjà convaincu.

– On n'ira pas loin comme ça.

– Mais si, tu vas voir. Supposons simplement que tu sentes qu'il y a quelque chose de, comment dire, détraqué dans le monde actuel et dans l'homme moderne lui-même, c'est-à-dire que tu subodores un vice rédhibitoire dans les principes premiers de la modernité. (Quant à moi, je crois que la meilleure explication de tout ça est encore celle d'Adorno et Horkheimer dans *La dialectique de la raison*, mais on pourrait en discuter longtemps.)

Pense par exemple à la guerre et au mal : la Shoah et le fascisme, tu sais, c'est pas sorti de nulle part. Prométhée, Faust et Don Juan, le matérialisme et les Lumières, ça finit quand même tout droit dans la Terreur de Robespierre, et aussi dans le marquis de Sade, y compris dans sa philosophie, qui au fond est indissociable d'une apologie du meurtre. De son côté, la techno-science n'est pas étrangère à l'holocauste. Songe à *Salo ou les 120 journées de Sodome* de Pasolini, ou encore au film de Lanzmann sur les camps d'extermination nazis. Les totalitarismes, c'est une invention moderne, sans même parler d'Hiroshima ou du péril nucléaire. Et on pourrait continuer longtemps comme ça.

Mais bon, supposons seulement que tu sentes qu'il y a quelque chose qui ne tourne pas rond. Peu importe ici que tu saches quoi, comment, pourquoi. Peu importe également que tu puisses ou non te prononcer sur ce qui serait mieux ou pire.

Tout ce que tu vas chercher à savoir, c'est si ce qui cloche, dans le monde et l'homme tels que tu les appréhendes autour de toi, est universel et nécessaire ou pas. Si c'est général et inévitable, tu n'as qu'à désespérer de tout et te jeter dans le fleuve. Mais si ça ne l'est pas, alors tu auras légèrement déplacé le problème et gagné par là même une sorte d'échappée, si fugitive soit-elle.

Tu sauras du moins que le merdier présent n'est pas une unique fatalité. Tu sauras qu'une autre forme d'humanité est non seulement possible mais effective, ne serait-ce que dans un passé lointain et impossible à répéter.

Équivalente ou meilleure, cette forme autre, c'est une affaire ouverte. Mais dans un premier temps, il te suffira de tenir cette certitude : il existe autre chose, un monde bâti sur d'autres plans, une société sans État, mettons, ou une culture sans « raison », et ainsi de suite. C'est peu de choses, sans doute, mais en même temps il se trouve que c'est toute la différence du monde !

Un incommensurable. Une alternative. Donc tu peux commencer à envisager de vivre malgré tout et de travailler. Ce qui n'est tout de même pas rien.

Eh bien, voilà, moi, c'est la lecture de Pierre Clastres qui m'a ouvert les portes de ce purgatoire. Pas seulement Clastres, bien sûr : Claude Lévi-Strauss, Rémi Savard, Alfred Métraux, Jacques Lizot, Robert Jaulin, Marshall Sahlins, etc.

Et puis plein d'autres, qui n'ont rien à voir avec l'ethnologie, y compris, disons, Cicéron, ou encore Werner Herzog avec *Aguirre, la colère de Dieu*, par exemple, ou même l'Arcadie de Poussin et le Bach de Glenn Gould.

(*Se moquant.*) Tu piges, mon pote ?

— Dis donc, toi, des fois on dirait presque que tu me donnes un cours !

— Juste retour des choses : l'élève est devenu professeur et le maître doit se refaire étudiant.

En sortant, ils butèrent sur l'Amérindien affalé par terre, qui les injuria copieusement dans un anglais bizarre.

Des filles

La scène est au Passeport, vers deux heures du matin, durant une accalmie de la musique de danse.

L'AUTRE – Non mais, regarde-moi ça un peu, la façon dont elle lui a mis le grappin dessus !

LUI – Les gars, je sais pas, mais je peux te dire une chose, féminisme ou pas, les filles sont des êtres extraordinaires.

– Qu'est-ce que tu racontes ?

– Eh bien, comment dire, elles ont un avantage mirobolant sur nous. Pas le premier soir peut-être, mais le lendemain, disons, au plus tard, les hommes sont piégés. Il y a en elles quelque chose qui l'emporte sur nous, et de beaucoup.

Entre autres, si tu veux, une manière de dire ça c'est que les femmes sont plus proches de la mort. De façon plus générale, elles savent : leur corps sait pour elles plein de choses que nous, les gars, nous ignorons. Leur corps marche tout seul, pas le nôtre. Elles empoignent plus profondément la vie, automatiquement. Ça peut paraître idiot à raconter ainsi entre deux whiskys, mais c'est comme inscrit dans une sorte de logique biologico-inconsciente qui nous dépasse tous – « Freud, page vingt-six », si tu vois...

– Sais-tu, c'est toi qui m'as fait comprendre, quand j'avais trente ans, que les femmes désiraient réellement coucher avec les garçons, alors qu'avant je m'étais toujours raconté qu'elles nous cédaient en vertu d'autre chose que le sexe – notre belle intelligence, etc.

– Du Con, va ! Note que tu es bien heureux de ne pas l'avoir découvert par toi-même. Parce que, quand on le sent vraiment avec l'évidence d'une intuition viscérale (pas juste avec la tête, comme toi), on sait aussi qu'on peut, je ne dirai peut-être pas *toutes* les avoir, mais un maudit paquet – et ça, tu vois, c'est pas bon, ça rend fou.

Je prétends d'ailleurs que c'est la raison pour laquelle tu es loin d'être le seul à avoir, spontanément, une conception idiote du désir féminin : la vérité, c'est probablement que la grande majorité des hommes sont plutôt myopes en matière de désir féminin. Tout se passe comme si c'était une sorte de mécanisme de défense inné, très utile en fait.

Ceux qui, peu importe pourquoi, ne le possèdent pas, comme moi, eh bien, en un sens, ils sont foutus. C'est un handicap sévère. Dieu sait pourtant que je suis assez loin d'être le pire des machos, ni spécialement le genre dragueur en chasse assoiffé de conquêtes. Simplement, au contraire de la majorité des hommes que je connais, je sais parler à une femme, gentiment et normalement. Avec les filles, tu vois, je suis bien, elles représentent beaucoup pour moi, mais vraiment beaucoup de choses, plein d'expériences intenses et vitales, profondes et riches, même celles avec qui je n'ai connu qu'une amitié. Jamais je pourrai te dire tout ce que les femmes ont pu m'apporter, me faire comprendre et sentir, tout ce que je leur dois.

De leur côté, on dirait qu'elles sentent immédiatement combien je les désire et les aime, à quel point mon air de Tintin décidé, tendre et sans concessions m'est naturel et n'est pas un piège machiavélique. Elles font le reste. Car la plupart des femmes, lorsqu'elles devinent avoir affaire à quelqu'un qui sait ce qu'il en est de leur désir, vont droit au but et exigent leur dû.

C'est *alors* qu'on est faits comme des rats, Le Fou, faits comme des rats. Pour le meilleur, car elles nous donnent tant de choses bouleversantes, belles et irremplaçables, mais pour le pire aussi, puisque ça se termine mal quand même, le plus souvent, comme presque tout — car comment échapper, en dernier ressort, à l'éphémère, à la douleur et à l'échec ?

*La musique repartit avec une intensité qui rendait toute conversation impossible. L'*AUTRE* rentra se coucher, laissant* LUI *se diriger vers le bar, où il venait de voir une jeune femme de sa connaissance, en murmurant :* « Ça y est, je suis encore amoureux ! Si ma mère me voyait... »

De l'écriture

*Leur éditeur et ami commun venait de les quitter.
L'éditeur et L'AUTRE essayaient, de temps en temps, de
convaincre LUI d'écrire, mais ce dernier résistait
passivement, avec une constance digne d'une
meilleure cause.*

L'AUTRE – Mais, enfin, pourquoi tu t'entêtes
ainsi à ne pas vouloir écrire ?

LUI – Je vous retourne la question, monsieur
Schumacher ! (*Prononcer « chou ma chère ».*)

– Et si je te disais que je voudrais bien
pouvoir te lire, que j'aimerais ça ?

– À en juger par tes lectures préférées, il
n'y a rien qui soit de nature à m'encourager :
je ne me vois vraiment pas en Sidney Hook ou
en Corliss Lamont, ni en Pierre Bourdieu,
Serge Robert ou Dominique Lecourt.

– Allez, tu charries !

– Pas du tout. D'ailleurs, je suis quand
même le mieux placé pour savoir si oui ou non
j'aurais quelque chose d'intéressant à écrire. Si

je croyais que je peux faire, sinon mieux, disons seulement presque aussi bien que Beckett ou Thomas Bernhard, aussi utile qu'Adorno, Lyotard, Lefort, Gauchet, Furet ou Descombes, sans parler de Montaigne, Büchner, Diderot, Flaubert et Kafka, alors oui, tu peux être sûr que j'écrirais, sans arrêt même. Mais non, je sais que ce ne serait pas aussi bon et que ce que j'aurais à dire n'intéresserait personne – ce qui est normal, entre parenthèses, on aurait tort de s'en faire pour si peu.

Il ne suffit pas d'avoir socialement un statut d'intellectuel pour avoir des idées nouvelles, et moins encore des idées intéressantes. Tu t'imagines que les intellectuels devraient se prononcer sur tout et rien, eh bien, moi pas. L'engagement, l'esprit de sérieux, la mission morale ou humanitaire et tout ça, franchement, ça me pue au nez. Au contraire, je suis convaincu que les intellectuels, en général, feraient beaucoup mieux de se taire et de ne pas aller à la télé montrer leur nouveau costume, la plupart du temps d'une laideur encore plus repoussante que l'ancien.

Parce que tu m'aimes bien, parce que j'émets de-ci de-là deux ou trois paradoxes amusants, parce que je t'incite à lire des penseurs ou des écrivains plus intéressants pour toi que ceux vers lesquels tu serais spontanément attiré, parce que tu écris, et pour quelques raisons accessoires du même ordre, tu voudrais que j'écrive aussi.

Mais voilà, comme a dit Bergson je crois, « on n'est jamais obligé de faire un livre ». Ça ne m'empêche pas d'avoir des regrets, mais pas ceux que tu crois. Dans les livres, j'aime la typographie, le choix de caractères, la mise en page, le grain du papier, les illustrations, c'est comme : l'objet livre. J'aurais pas détesté en concevoir un qui me ressemble. Mais on peut pas tout avoir.

— J'ai une idée. Un jour, je devrais écrire un petit bouquin avec tout ce que tu racontes.

— Si jamais tu fais ça, tu m'entends, je t'arrache la tête !

Sur ce, bien qu'arrivés près de chez LUI, au coin de l'avenue du Mont-Royal et de la rue de Mentana, ils décidèrent pourtant de rebrousser chemin et d'aller prendre une petite vodka-galliano ou deux au Swimming (deux tiers vodka, un tiers Galliano, bien frappé – une invention à LUI).

Du nationalisme

Ils étaient tranquillement assis dans leur bureau commun, par un après-midi d'hiver blafard, entre deux bourrasques de neige. L'AUTRE venait encore d'écrire une énième diatribe contre l'idéologie souverainiste, et LUI enrageait du gaspillage de temps et d'énergie que cela constituait à son avis.

LUI – Tu ferais mieux de te mettre enfin à ton projet sur la science !

L'AUTRE – Tu sais bien que je ne peux pas m'en empêcher : j'espère toujours trouver la bonne façon de faire comprendre ce qui ne va pas dans le soi-disant souverainisme.

— (*Laconique.*) Souverainisme de merde.

— D'accord, si tu veux. Mais justement !

— Pas du tout. Tu n'as rien compris.

Écoute, mon vieux, ton erreur fondamentale et incorrigible, c'est de croire que le nationalisme serait une *pensée*, que la souveraineté serait une *idée*, alors que ce ne sont que les manifestations ou les symptômes d'une *névrose*.

Or, tu devrais tout de même savoir, à ton âge, qu'on ne raisonne pas un délire obsessionnel, on ne guérit pas une paranoïa à coups d'arguments !

L'idéologie souverainiste est complètement ridicule, inconsistante et nulle, elle ne mérite même pas une ligne de critique tellement elle est absurde. Mais ça n'a aucune importance.

La seule chose qui compte, c'est qu'elle remplisse parfaitement son rôle, qui est de nous bercer d'illusions, de nous remonter le moral, de nous faire croire que nous sommes beaux, brillants et importants sans avoir aucun effort véritable à faire. Parce que, évidemment, remporter deux ou trois prix Nobel nous ferait davantage de bien, et un bien autrement réel, mais l'inconvénient c'est que ça prendrait malheureusement *beaucoup* plus de temps et de travail.

Le ronron souverainiste, c'est le sourire béat de nos rêveries, depuis longtemps changé en rictus momifié, un masque qui compense à bon compte une faille inguérissable, sans visage et sans nom. Derrière le leurre psychanalytique du nationalisme, il n'y a *jamais* eu d'idées – le souverainisme a précisément pour fonction de nous éviter la douleur extrême de penser notre réalité, notre situation, ce que nous sommes, de nous épargner l'effort déchirant du dépassement. Le nationalisme est une solution de facilité adaptée à la paresse et à l'impuissance ambiantes.

Relis n'importe quel écrit souverainiste, par exemple les invraisemblables éditoriaux du *Devoir* (tu sais, le genre : « Certes, le Canada aurait pu être un beau et grand pays, mais ça ne fonctionne plus désormais puisque les grands-méchants-loups-d'Ottawa-la-maudite-centralisatrice nous refusent le monopole de juridiction sur la formation de la main-d'œuvre – ou n'importe quoi d'aussi insignifiant –, voilà pourquoi il ne nous reste qu'un seul choix, la souveraineté-association d'égal à égal qui, elle, va fonctionner à merveille... » et autres inepties insondables du même acabit), puis essaie d'enlever mentalement de tous ces textes le réflexe nationaliste de revendication.

Tu verras : il ne reste absolument rien, pas l'ombre du début du commencement d'une idée. Seulement un bavardage vide et satisfait, générateur d'une bonne conscience hypocrite, imbécile et démesurée : « *Blabla* Québécois, *blabla* Souveraineté-partenariat, *blabla* Ottawa *(chou !)*, *blabla* Pays – *blabla blabla* : QUÉ-BEC ! »

Aucune substance. *Néant.* Un néant proprement obscène.

Ce qui crée l'illusion d'un contenu, c'est simplement la capacité inhérente à tout délire de revendication d'engendrer aux yeux du revendicateur une idole imaginaire de lui-même. Si personne n'éclate de rire en entendant ces insanités, dont le vide absolu devrait être manifeste, c'est que pratiquement tout le monde est complice, partage la même folie, vit dans la même bulle d'illusion consolatrice, cultive avec désespoir et complaisance la même projection onirique de soi – bref tout le monde est affecté de la même névrose délirante, si rassurante et si commode.

Les Basques, les Tchétchènes, les Kurdes, les Tamouls, les Afro-Américains, les Corses, les Amérindiens (surtout les Amérindiens !) qui réclament un pays séparé *exagèrent*, chacun sait ça, mais... pas nous ! – qui pourtant avons manifestement dix fois plus de souveraineté, d'autonomie, de pouvoirs et de libertés qu'eux tous réunis.

Bien sûr, quiconque lirait sans prévention les textes du droit international comprendrait dès le premier coup d'œil que les Amérindiens, par exemple, répondent infiniment mieux que le Québec (qui, en fait, n'y satisfait pas du tout) aux critères requis pour prétendre au droit à l'autodétermination et à la sécession. Ça n'empêche pas tout un chacun, y compris le PLQ, de soutenir le contraire, avec la belle unanimité aveugle dont nous sommes devenus spécialistes.

Un vrai cirque.

Et toi, tu vois pas que ça ne sert strictement à rien d'écrire ne serait-ce qu'une ligne de critique rationnelle contre tout ce complexe nationalo-souverainiste ?

Tu comprends pas, Le Fou, qu'on ne *discute* pas, on ne *réfute* pas un trouble mental – on en guérit ou non, c'est tout.

– Vraiment formidable ! À cause de toi, j'oserais presque dire « à ta place », j'ai écrit un petit livre sur le souverainisme, qui d'ailleurs t'est dédié, et puis voilà que maintenant tu m'accuses de n'avoir rien compris.

– (*Rigolant.*) Ah mais ça c'est ton problème !

– Tu penses pas que tu pourrais expliquer tout ça toi-même ? Un bon papier dans *Le Devoir* ?

– Hors de question. On ne peut pas dire ces choses-là publiquement. Ça fait l'objet d'un interdit majeur. Même si on réussissait à le dire, ça aurait l'effet contraire de celui qu'on rechercherait. Je passerais pour un excentrique complètement dérangé, et les autres en profiteraient pour ressasser un coup de plus leurs évidences creuses sur le beau Pays du Québec auquel nous avons un droit historique imprescriptible depuis les plaines d'Abraham, ainsi soit-il !

Jamais tu ne comprendras ça.

Nos pères et nos ancêtres, vois-tu, nous ont transmis par voie d'atavisme constitutif le sentiment anti-anglais – peut-être pas nécessairement la haine de l'Anglais, mais en tout cas le goût de nous plaindre de lui, de récriminer contre lui, ainsi que le désir de lui faire des misères.

C'est un affect fondateur. Si les Québécois ont tant aimé Trudeau, crois-le ou pas, c'est parce qu'à sa façon, avec arrogance et grand style, *il faisait des misères aux Anglais*, leur imposant un bilinguisme et un biculturalisme dont ils ne voulaient guère. Même chose, il va sans dire, avec le Bloc et Bouchard, chargés de faire des misères au Parlement fédéral tout entier. Du point de vue de la psyché collective, et donc de l'intérieur même de chacun de nous, celui qui aime les Anglais ne peut être qu'un lâche et un traître, il n'est plus qu'un sous-homme, aboli et foudroyé du dedans par l'Esprit des Aïeux – il est comme mort.

Or moi, je n'ai aucun besoin d'un bouc émissaire pour me sentir une identité et j'aime bien les Canadiens anglais : Glenn Gould pour commencer, Mordecai Richler aussi figure-toi, et Leonard Cohen, Mavis Gallant, Betty Goodwin, Michael Snow, Charles Taylor et tant d'autres. Si tu veux le savoir, j'ai même un faible pour le gouvernement fédéral, et également ment pour le Conseil des arts du Canada, l'Office national du film, la Société Radio-Canada et tout ça.

Oh, je reconnais que j'ai voté Oui en 1980, par faiblesse, pour qu'on en finisse et qu'on puisse enfin passer à autre chose. Mais la prochaine fois, tu peux être certain que je répondrai Non. La vérité, criss, c'est que j'aime bien cette entité improbable qu'on appelle le Canada, justement parce que c'est un pays sans queue ni tête, qu'on est en train de saboter et d'étrangler bêtement, alors qu'il aurait ce qu'il faut pour devenir un bon exemple d'humanisme pragmatique et plu-raliste. C'est *ma* Yougoslavie et j'y tiens.

Seulement voilà : celui qui aime ce pays est maudit.

Il ne peut donc que se taire. Symboliquement, être nationaliste, c'est avoir le droit d'exister ; être contre le nationalisme, c'est mourir à soi-même et à la communauté. Nul ne peut imaginer à quel point c'est, pour tout un peuple, un désastre sans mesure, qui nous paralyse et nous amoindrit irrémédiablement, mais *c'est comme ça.*

Des fois, quand j'ai le courage de répondre à quelqu'un qui m'emmerde trop avec ses radotages débiles de péquiste sur les empiètements, chevauchements et autres dédoublements : « Eh ben, moi, c'est pas la même chose, je suis *fédéraliste* ! » – tu sais, j'ai peur que ça finisse par me tuer, je veux dire : *réellement.* (Par bonheur, ou plutôt par malheur, les gens ne me croient même pas : avec ma gueule d'intellectuel anarchiste, impossible que je sois *vraiment* fédéraliste, ça se voit tout seul, si je dis des choses comme ça c'est sûrement pour blaguer ou pour provoquer, etc. Les caves !)

Maintenant, tiens, c'est vrai qu'en dernière analyse je ne donne pas entièrement tort aux nationalistes lorsqu'ils se plaignent qu'on soit pas dans un « pays normal » puisqu'ici – politiquement, s'entend – on doit être fou pour paraître sain d'esprit et vice versa, ce qui n'est guère « normal » ! À bien y réfléchir, d'ailleurs, c'est assez philosophique, l'affaire. Un peu comme : vivre dans la caverne de Platon après avoir vu le soleil !

– Quand je pense que ton héros c'est Thomas Bernhard, qui a chié sur l'Autriche plus que tu ne pourrais jamais craindre de le faire pour le Québec en disant tout ça !

– (*Regardant L'AUTRE droit dans les yeux avec une rage froide et martelant ses mots.*) *C'est pas pareil.* On peut pas. On ne frappe pas un homme à terre !

– Et alors, on devrait faire quoi, d'après toi ?

– Ah, ça !

(*Sarcastique.*)

Mais rien du tout.

Bientôt la question ne se posera même plus. Regarde un peu. On a fermé Gagnon. On a pratiquement fermé Schefferville. Les gens ont oublié. Personne n'a compris que c'étaient des répétitions générales.

La prochaine fois, mon vieux, moi je te le dis, on va *fermer le Québec* ! C'est que, toujours vouloir faire des misères aux autres, ça peut entraîner loin : jusqu'au suicide. Un beau jour, tout ce qui te reste pour nuire à autrui, c'est de te pendre.

(*Éclat de rire.*)

Tu te vois, travailleur immigré à Sudbury ?

Allez, salut !

Sur ce, LUI se leva et prit la porte. La neige s'était remise à tomber doucement, sans vent cette fois, avec une légèreté inquiétante. L'AUTRE se jura, mais un peu tard, de ne plus écrire une ligne sur le souverainisme, et ne tint pas parole, comme on l'imagine.

Du cégep et de l'éducation

*La discussion s'engagea subitement sur les États
généraux de l'éducation, alors à leurs débuts et qui
semblaient devoir être l'occasion d'une réforme en
profondeur.*

L'AUTRE – J'ose pas le proclamer publiquement, mais puisque tu veux le savoir, je me
demande si on ne devrait pas carrément sup-
primer les cégeps, renvoyer tout le technico-
professionnel (même dit postsecondaire) aux
commissions scolaires, ajouter une année
complémentaire à la fin du secondaire et une
autre, de formation générale ou propédeutique,
au début de l'université, et puis répartir les
bâtiments et les enseignants actuels entre ces
divers niveaux.

LUI – Ce serait une erreur attristante. Les
cégeps sont une invention absurde, donc pré-
cieuse à l'extrême. Ils ont l'avantage inouï
d'exister sans la moindre raison valable, sans
aucun modèle (ni imitateur) nulle part au

monde, et d'être ainsi un cas tératologique, une monstruosité institutionnelle, sans statut précis ou bien défini – ni secondaire, ni supérieur ; ni professionnel, ni général –, une entité improbable, immature, transitionnelle et médiatrice, c'est-à-dire un reposoir potentiel de liberté, d'anomie, d'inventivité, de désorientation.

C'est le genre de chose qui me tient à cœur.

– Il me semblerait plutôt qu'il s'agit d'une école comme les autres. La division en plusieurs paliers ne fait que créer des illusions. À ce compte-là, pourquoi ne pas séparer en deux types d'institutions les premier et second cycles du secondaire et de l'université ? On créerait sûrement pas mal d'emplois dans le bâtiment et dans la gestion administrative !

– Tu vas à l'autre extrême.

Non, il vaut mieux sauvegarder les cégeps en mettant l'accent sur leur devoir d'innovation. Pour y arriver, il faudrait d'abord démanteler la bureaucratie provinciale, celle du ministère de l'Éducation, qui s'imagine désormais que toute occasion est bonne pour réglementer, encadrer, uniformiser les programmes et les examens, alors qu'il s'agit d'un ramassis d'incompétents qui ne font que débiter du jargon.

Notre pire mal québécois, c'est le fonctionnalisme technocratique et la logorrhée qui en découle inévitablement. Je serais curieux de connaître les résultats d'une étude comparative internationale portant sur le taux (relatif à la population) de textes bureaucratiques produits dans différentes nations. Il me semble que nous l'emporterions haut la main, et que nous aurions droit au record Guinness de la paperasse tablettée. C'est ce flot d'insanités qu'on appelle rapports d'enquête, études prospectives, politiques de ci ou de ça, qui me donne la nausée.

Tu vas voir, les États généraux n'y échapperont pas. Un autre rapport, encore quelques milliers de pages de bavardage perdues. Alors que ce qui compterait véritablement, ce serait l'imagination, l'enthousiasme, la créativité, l'esprit d'expérimentation, l'autonomie (qu'elle soit locale, départementale ou individuelle).

Mais ces choses-là, tu vois, ça relève du *sens pratique*, qu'on ne valorise pas assez. Au lieu de penser utile, de penser praticopratique, comme on devrait toujours le faire, dans tous les domaines de cette foutue vie, on pense beaux discours, grandes théories verbeuses, histoire d'avoir l'air important et de cacher sa maladresse.

Tu te rappelles, quand nous sommes arrivés ensemble à l'exécutif de notre syndicat, il y a quelques années : on a fait une visite aux bureaux, on a discuté de quelques dossiers pendants, etc. Et puis j'ai décidé que la première tâche à laquelle je devrais me consacrer, c'était de faire un grand ménage des lieux ! Pas rédiger des propositions ni des politiques, faire le ménage, moi le philosophe, le ménage au sens propre : poussière ou taches sur les meubles à nettoyer, peinture à rafraîchir, etc. C'était comme une affaire de diagnostic utilitaire : une fois le ménage fait, tout le monde s'est félicité du meilleur climat de travail. De la même façon, il faudrait à mon avis que tous nos administrateurs soient d'abord des gens d'action et de terrain.

Mais pour ça, tu repasseras, que les cégeps soient supprimés ou pas !

— De toute façon, tu crois que les profs sauraient quoi faire de toute cette liberté dont tu veux les abreuver ?

— Comme disait mon père, à propos d'une de nos grèves mémorables de l'époque héroïque : « Vous faites un beau groupe ! »

C'est vrai qu'en réunion, la plupart du temps, on a l'air d'une bande de demeurés, des vrais arriérés mentaux. Tout ce qui nous préoccupe, ce sont les petits privilèges individuels d'horaire ou de tâche, et ensuite les garde-fous contre la fantaisie, l'improvisation et l'originalité (programmes, règlements, politiques, etc.).

Pourtant, le meilleur prof de latin que j'ai connu ne nous parlait que de Godard et de John Ford, le meilleur prof de lettres que des romans érotiques mis à l'index, le meilleur prof de maths que des échecs, et tout à l'avenant. Aucun d'eux ne suivait le programme, ni de près ni de loin, et c'était merveilleux parce qu'ils nous parlaient normalement, avec chaleur, de choses compliquées et intéressantes, qu'ils aimaient visiblement.

La plupart des profs, voilà, sans parler de la peur de soi-même, ils ont peur des élèves – tout simplement parce que la plupart des gens, ils ont peur d'autrui en général. Et devant les jeunes, bien sûr, c'est pire, c'est vraiment spécial. La jeunesse, ça juge vite et bien. Ça perçoit l'inauthenticité ou l'aigreur dès le premier cours.

Les jeunes, ils savent qu'ils ont droit au meilleur de nous-mêmes et que l'avenir de la vie leur appartient. Alors ce qu'on leur doit, c'est d'essayer vraiment. Oh, on ne réussit pas toujours. Des fois, t'es en classe, t'as tout bien préparé tu crois, et puis crac, c'est pas bon, ça lève pas.

Donc je dis pas que les profs méritent le maximum de liberté en vertu de leur talent inné. Je sais qu'il y en a plein qui sont pas des génies. Malgré tout, ma conviction de base, c'est encore qu'il vaut mieux un mauvais prof libre qu'un bon prof ligoté.

— Étant entendu, cela va sans dire, qu'il est toujours préférable d'être riche et bien portant que pauvre et malade... (*Ils sourirent.*)

Sur la bibliothèque de leur bureau, les volumes jaunis et fatigués du rapport Parent semblaient attendre que quelque chose se passe enfin – qu'on les jette à la poubelle, peut-être.

De la mer et de la campagne

Les vacances scolaires de l'été vont commencer et nos deux amis vont se séparer pour quelques semaines de congé. L'AUTRE compte se retirer à la campagne pour écrire, et LUI, comme chaque année ou presque, ira au bord de la mer à Higgins Beach, petit village un peu au sud de Portland, Maine.

L'AUTRE – Mais enfin, qu'est-ce que tu as contre la campagne ?

LUI – Attention, je suis plutôt fasciné par la nature, tu sais. Les oiseaux, les forêts, l'Arctique, le désert, les nuages – surtout les nuages.

Mais pas la campagne.

Ce qu'elle représente me fait peur et me hérisse. L'ignorance ; la fermeture ou le repli sur soi ; la pauvreté des échanges ; les ragots et la curiosité malsaine envers le voisin ; la lenteur débilitante du rythme de vie, peu propice à l'invention ; la destruction de forêts qui ne nous avaient rien fait ; le snobisme et la fatigue, contagieux, des innombrables citadins qui débarquent là en nouveaux riches chaque fin de semaine et qui parasitent tout ; les moustiques qui empoisonnent la plus petite promenade ; le culte imbécile des lacs ; les pistes de ski omniprésentes qui défigurent irrémédiablement la moindre colline ; les autoroutes et les routes de terre, dont on ne sait lesquelles sont les plus répugnantes ; tout, mon vieux, en un mot comme en cent, tout ! Trois jours à la campagne suffisent à me rendre fou de rage. La campagne, c'est le règne implacable de l'ennui et de la bêtise. Tout le monde pense que la ville c'est sale et dangereux, mais la campagne, c'est *beaucoup* plus sale et dangereux qu'on l'imagine !

— Quand même, je vois mal en quoi un petit village au bord de la mer vaudrait mieux.

— Ah mais bien au contraire !

La mer ne s'est pas laissée détruire comme les bois. Elle nous écrase de sa majesté indifférente, de son immensité massive et uniformément mouvante. Nous ne pouvons guère que camper à sa frontière, sans jamais prétendre à la conquérir le moindrement.

Si nous nous aventurons sur son terrain, elle efface immédiatement derrière nous la trace de notre passage. Les cimetières marins, que les touristes modernes se gardent bien d'aller visiter, sont là pour nous rappeler notre fragilité extrême devant elle et son pouvoir immaîtrisable sur nous.

Pour moi, la mer est une sorte d'équivalent moderne des anciennes puissances sacrées des Grecs, oui, c'est une véritable divinité grecque. La contempler attentivement ne peut que nous hypnotiser, nous rabaisser, nous exalter. Car la mer est inhumaine et le reste malgré les barbotages insignifiants qu'elle tolère ici et là sur les plages.

La mer se montre à nous pour ce qu'elle est, la maîtresse originelle, la matrice de toute vie, la dépositaire du grand secret. Elle est mon psychanalyste et mon gourou, puisque je refuse et les psychanalystes et les gourous.

D'ailleurs, je ne prétendrai pas avoir choisi la mer : c'est elle, par le biais de mon enfance, qui m'a choisi, et je lui suis simplement resté fidèle – je suis allé à Higgins Beach pour la première fois alors que je devais avoir à peine cinq ans !

La mer est notre meilleure approximation de l'infini (j'avouerai que je me chantonne parfois dans la tête les vers éculés de Valéry : « La mer, la mer toujours recommencée ») — l'illimité, l'*apeiron* des présocratiques, qui reste le plus subtil et le plus violent des poisons dont l'esprit puisse s'enivrer.

De surcroît, les descendants d'Européens établis en Amérique sont des rejetons de la mer, qui a porté leurs ancêtres jusqu'ici. Nous avons tous, comment dire, un marin symbolique dans le fin fond de notre inconscient. La nostalgie sans visage qui nous étreint devant l'océan Atlantique, c'est le spleen indéfinissable de l'origine et du retour impossible, et c'est aussi le rêve inaccompli d'une autre immigration fantasmée vers un ailleurs de nulle part. Que je le veuille ou pas, je suis un enfant du passage de la mer, alors qu'aucune campagne ne me dira jamais rien de moi-même, même si mon père était négociant en pommes de terre.

— Rassure-toi, puisqu'au moins là-dessus nous sommes en harmonie : je hais la campagne. Pour ce qui est de la mer, mon cas est simple : je ne sais pas nager, et la vue de l'eau me glace de terreur. Si je me laissais aller, c'est d'un univers de béton et d'asphalte que je rêverais !

— Au fond, tu sais, j'aime la mer parce que ça fait du bruit. L'océan, c'est un musicien minimaliste répétitif.

Là-dessus L'AUTRE, arrivé dans le Nouveau Monde sur les ailes d'un avion à réaction, ne put que se taire. Bien plus tard, il eut l'occasion de faire par hasard un petit tour à Higgins Beach, qui lui parut simplement un mini-Old Orchard assez quelconque.

De la culture

L'AUTRE est assis tranquillement à la terrasse d'un café. Par hasard, LUI passe justement par là et vient le rejoindre. À son habitude, LUI a le cheveu en bataille, un peu comme le peintre surréaliste Yves Tanguy, et son petit sourire sarcastique aux lèvres.

L'AUTRE – D'où sors-tu ?
LUI – Je reviens du Musée d'art contemporain, où je suis allé visiter une exposition.

– Et ?

– Ennuyeux que c'en est un scandale, comme d'habitude. Tous ces musées sont d'une platitude renversante.

– Mais comment tu expliques ça ?

– Il y a sûrement un tas d'explications. Mais je suis particulièrement sensible à la disproportion entre les contenants et les contenus. Comme nous étions prospères et partions presque de zéro, nous nous sommes dotés en peu de temps d'institutions culturelles modernes, majestueuses, coûteuses et assez nombreuses.

Nous avons développé simultanément des structures bureaucratiques, calquées sur les grands modèles étrangers, pour assurer censément le « fonctionnement » du tout. Et alors, voilà, cette machinerie inégalement réussie marche doucement, nous faisons des expositions, des catalogues, des collections permanentes et ce que tu voudras.

Mais le tout semble tourner à vide, sans idées directrices, sans travail scientifique complet et minutieux, sans grande pertinence sociale, historique ou artistique. Trop de musées, trop de fonctionnaires, trop d'argent — et trop peu d'idées, de principes, de recherches, de personnalités audacieuses et inventives, de créations solides et influentes.

Le plus révoltant, c'est de voir que les prétendus artistes ne s'insurgent pas le moins du monde contre l'aberration de tout ça : ils se contentent en général de revendiquer plus de sous, plus de place, une plus grande « visibilité », plus de commandes et d'achats, davantage d'influence et de pouvoir, et ça presse s'il vous plaît. C'est la lutte darwinienne pour le prestige et les ressources. Rien d'autre ne paraît compter. C'en est désespérant.

– Tu vois les choses comme ça dans les arts visuels seulement ?

– Ce serait trop beau !

Partout, c'est le même cancer bureaucratique, technocratique, pseudo-professionnel, et donc la même irréalité. Nous pondons des « politiques culturelles » toutes plus ineptes et inutiles les unes que les autres. Nos élus et nos fonctionnaires distribuent ensuite des subsides un peu au hasard, et le tout crée quelques « rentes de situation » *de facto* pour une petite minorité suffisamment habile ou persévérante, et puis le système ainsi créé, c'est comme, s'entretient tout seul, sans boussole ni finalité.

Le vide et l'ennui les plus totaux, pudiquement recouverts par le double ronron médiatique et techno-bureaucratique qui crée, bien que de façon très éphémère et très fragile, un semblant de consistance et un vernis de légitimité. Un mirage en vase clos, une chimère de culture comateuse, maintenue en vie par voie de transfusion et de respiration artificielle.

Bref, la culture véritable a été remplacée par un ersatz étatico-institutionnel que tout le monde ou presque feint de prendre pour la chose même. Les formes sont là, les budgets sont là, les activités et les calendriers sont là, les catalogues sont là, les artistes boursiers de l'État sont là également, ainsi que les concours et les prix, les jurys et les critiques, et pour tout dire on doit finalement reconnaître que des œuvres elles-mêmes ont bel et bien l'air d'être là – mais voilà, ce n'en sont pas, ce ne sont que des simulacres, des clones substitutifs sous perfusion externe.

La mayonnaise ne prend pas, tout ce joli monde se ligue simplement pour singer une culture, pour faire semblant. Nous vivons, sans nous en douter je présume, dans une simulation de culture, fondamentalement irréelle – l'illusion est totale, mais nous n'avons que l'apparence vide des choses, jamais la réalité.

C'est le règne de Guignol.

Que le mal soit généralisé, la librairie en offrirait malheureusement une excellente confirmation. Des lois protectionnistes et corporatives ont favorisé tout un circuit de pseudolibrairies sans livres et sans clients ou presque, qui ne vivent pratiquement que d'une sorte de monopole indu sur les commandes publiques (bibliothèques, écoles, etc.).

Il suffit de penser à la pornographie pour voir que celui qui prendrait les images d'un film de cul pour la réalité ne serait rien de plus qu'un malade. La psychose, entre autres, c'est confondre le faux-semblant et le réel. Eh bien, pourquoi ça ne s'applique pas aux musées, aux librairies et tout ça ?

Tout le jargon officiel sur les « industries » culturelles n'est ainsi qu'une façade mensongère, qui ne devrait pouvoir tromper personne, sauf les aliénés, ou ceux qui le veulent bien – mais il semble décidément que ça fasse beaucoup de monde. Pourtant, nos journalistes n'ont pas eu beaucoup de mal à trouver que Mirabel n'était qu'une coquille vide. Quand donc découvriront-ils que nos musées, nos maisons d'édition, notre ministère des Affaires culturelles *aussi* ? Que ce que nous appelons « culture » n'est la plupart du temps qu'un artefact institutionnel placé sous tente à oxygène ?

Je prétends que nous avons trop de musées, de maisons d'édition, d'orchestres, de festivals, de politiques culturelles, de subventions et de prix et tout ça, et pas assez d'idées ni d'œuvres ni d'artistes, mon vieux, voilà la dure vérité.

Bonjour la culture virtuelle !

*Ayant dit, visiblement découragé, LUI se dressa brus-
quement en marmonnant et s'en alla comme il était
venu. Il en oublia sur la table du café le catalogue
de l'exposition d'où il sortait.*

De l'existence et de sa fin

LUI était brutalement tombé malade, et la médecine venait de lui révéler qu'il ne lui restait que peu de temps. Ils firent ce jour-là leur dernière petite promenade, après quoi LUI fut pratiquement confiné à la maison.

LUI – Je ne souhaite ça à personne.

L'AUTRE – Si on allait manger un morceau ?

– J'ai pas très faim, tu sais.

– Dis-moi, mon pauvre vieux, comment tu prends tout ça ?

– Franchement, d'une certaine manière je suis déçu. Tout va trop vite – ou pas assez, en même temps, si tu saisis ce que je veux dire.

– Bon, allez, qu'est-ce que tu aimerais faire ?

– Ah, ça, c'est une bonne question !

Eh bien, tu vois, j'aimerais tout simplement faire comme d'habitude : marcher un peu ; parler un peu avec les copines et les copains ; lire un peu le *Times Literary Supplement* ou la *New York Review of Books*,

Baudelaire, Saul Bellow, Heiner Müller ou Alexandre Vialatte ; travailler un peu, si seulement j'en étais capable, travailler toujours et encore, car on travaille jamais assez ; écouter un peu de Beethoven, de Schoenberg ou de Reich ; regarder un bon film d'Altman ou Hartley ; me sentir aussi libre et vrai que je peux ; réfléchir un petit coup peut-être (mais pas trop, parce qu'en ce moment, tu comprends, j'ai tendance à ruminer) ; serrer très fort dans mes bras la femme que j'aime ; siroter un verre de vin blanc bien frais ; fumer une bonne Camel (ça va plus changer grand-chose). Et puis, j'aimerais revoir la mer.

Bref, rien de bien compliqué : être moi-même et faire ce que j'aime. Car c'est la seule chose qu'il y ait, retiens ça, même si c'est banal et presque idiot : *faire ce qu'on aime*, mon vieux Le Fou, et donner librement le meilleur de soi. Si tu y tiens, tu peux appeler ça trouver un sens à la vie. C'est ce qu'il y a de plus élémentaire, mais aussi de plus difficile. Compte autour de toi les personnes qui aiment ce qu'elles font, qui s'évertuent à se rendre vraiment utiles, qui ne s'adonnent qu'à ce qui les passionne, et tu verras que tes deux mains risquent de suffire.

Comme tu vois, je ne suis pas devenu mystique, je n'ai pas changé, je ne me suis pas mis subitement à croire en Dieu ou en la réincarnation ni rien de tout ce caca du « nouvel âge » qui s'étend autour de nous comme une sale tache. Je pense toujours que ça va se terminer là et point final : quand on est mort, c'est comme... on est bel et bien mort.

Mais ce que je comprends chaque jour, chaque minute un peu mieux, c'est qu'il nous faut tout bonnement accomplir avec intensité et ferveur ce qui nous tient à cœur, travailler fort et sans relâche à ce qu'on croit pouvoir réaliser de mieux, éviter de perdre notre temps à ne rien faire de bon pour personne, et mettre à profit généreusement, vigoureusement, farouchement, le moment qui passe.

C'est tout, en somme.

Mais tu sais, *c'est beaucoup* – beaucoup plus qu'on ne croit.

Durant ces jours atroces, ce que L'AUTRE trouva le plus déchirant, ce fut la certitude que LUI ne reverrait pas la mer. Un mois plus tard, il ne restait de LUI qu'une urne dans un salon funéraire, et L'AUTRE était inconsolable.

Épilogue

Dans les rares papiers qu'on retrouva après la mort de LUI, il y avait le manuscrit d'une conférence sur quatre artistes contemporains, sans doute prononcée quelques années plus tôt devant ce qu'il appelait en souriant ses « congrès d'esthéticiennes ». En voici le premier et le dernier paragraphe, précédés de l'épigraphe choisie par LUI.

> *Il n'y a rien à exalter, rien à condamner, rien à accuser, mais il y a bien des choses risibles ; tout est risible quand on pense à la mort.*
>
> Thomas BERNHARD

« *Je ne dirai presque rien, parce qu'il n'y a presque rien à dire. Nous falsifions tout, nous détruisons tout de mémoire, jusque dans la mort, parce que nous avons toujours permis à la vie d'infiltrer la mort, de la souiller jusqu'à la fin. Nous trompons les autres, nous nous mentons à nous-mêmes, nos défaillances marchent à coups de volonté, mais taire qu'il y a effectivement des choses à exalter, des choses à condamner et des choses à accuser, taire ce qui* autrement *ne devrait pas être dit, ne pas faire le procès des choses risibles, ce serait parler directement de la mort, seulement et inévitablement de la mort. Je peux seulement* indiquer *la mort, nommer les renoncements, l'abandon, la petitesse, les aveuglements, et cetera, tout ce qui précède la mort et nous poursuit jusque dans la mort. Je nous vois comme des moribonds, parce que nous refusons la mort, l'idée même de la mort, et parce que la vie détruit presque tout, à commencer par la vie. Nous sommes incapables de seulement même envisager le jour où il n'y aura plus que la mort, rien que la mort, plus aucun signe de vie, et surtout personne pour en faire la sémiologie.*

[...]

« L'échec tient à la mort, à la mort certaine, au dépérissement, au dessèchement et à la pourriture. L'art, c'est précisément cette vanitas, *ce soulèvement et cette insurrection contre la vie qui détruit tout sur son passage, parce que la vie c'est déjà la mort au ralenti. Tous ces coups*

sont des échecs, mais c'est par la faillite, et par
la beauté de la faillite, qu'ils sont des coups
dans le champ de l'art. »

Extrait de : « L'Art qui n'en est pas.
Note sur Haacke, Baumgarten, Cadieux et
Sterbak », texte inédit de Jean Papineau.

Remerciements

Merci à :

Robert Arpin
Christiane Charette
Christiane Dalla
Marie-José Daoust
Manuel Foglia
Stéphanie Jasmin
Jean-Claude Martin
Louis Martin
Alain-Napoléon Moffat
Christian Nadeau
Judith Poirier
Gaston Sanchez
Jocelyne Sanschagrin
Colette Tougas

pour leurs commentaires et leurs précieuses
suggestions.

Table des matières

Mise en pages : Folio infographie

Ce deuxième tirage a été achevé d'imprimer
en septembre 1996
sur les presses de AGMV,
Cap-Saint-Ignace, Québec